35 Kilo Hoffnung

David ist 13 und schon zweimal sitzen geblieben. Er hasst die Schule und wacht deshalb jeden Morgen mit Magenschmerzen auf. Der einzige Ort, an dem er sich wohl fühlt, ist der Schuppen seines Großvaters Léon, wo die beiden stundenlang zusammen basteln. Doch als David wieder einmal von der Schule fliegt, beschließt Opa Léon, dass es für seinen Enkel langsam Zeit wird, erwachsen zu werden. Er weiß, dass David viel mehr kann, als er glaubt – wenn er nur will. Aber plötzlich wird Opa Léon sehr krank, und bald steht David vor einer großen Herausforderung ...

Einfühlsam und humorvoll nähert sich Anna Gavalda einem ernsten Thema. Ein zarter Roman über einen Jungen, der lernen muss, erwachsen zu werden und seinen Platz im Leben zu finden.

Anna Gavalda

35 Kilo Hoffnung

Zeichnungen von Claas Janssen

Aus dem Französischen
von Ursula Schregel

Bloomsbury
K&J Taschenbuch

Für meinen Opa
und Marie Tondelier

Ich hasse die Schule.
Ich hasse sie.
Nichts ist schlimmer auf der Welt.
Sie macht mir das Leben zur Hölle.

Bis zu meinem dritten Lebensjahr, kann ich sagen, war ich glücklich. Ich erinnere mich nicht mehr genau, aber meiner Meinung nach ging es bis dahin. Ich spielte, ich schaute mir zehnmal hintereinander meine *Bubibär*-Videokassette an, ich malte und ich erfand Tausende von Abenteuergeschichten für Grududu, meinen Stoffhund, den ich über alles liebte. Meine Mutter hat mir erzählt, dass ich mich stundenlang völlig allein in meinem Zimmer beschäftigte, vor mich hin brabbelte und erzählte. Daraus schließe ich, dass ich glücklich war.
In dieser Phase meines Lebens mochte ich die

ganze Welt und ich glaubte, dass die ganze Welt sich mochte. Und dann, als ich drei Jahre und fünf Monate alt war, rums!, die Vorschule.

Es heißt, ich sei am Morgen sehr zufrieden hingegangen. Meine Eltern müssen es mir die gesamten Ferien über eingetrichtert haben. – »Du hast Glück, mein Schatz, du darfst in die große Schule gehen …« – »Guck dir deinen feinen neuen Ranzen an! Damit gehst du in die tolle Schule!« Blablabla … Es heißt, ich hätte nicht einmal geweint.
(Ich bin neugierig, ich glaube, ich hatte Lust zu sehen, was sie an Spielzeugen und Legos hatten …)
Es heißt, ich sei ganz aufgekratzt zum Mittagessen nach Hause gekommen, es habe mir geschmeckt und ich sei anschließend in mein Zimmer gegangen, um Grududu von meinem wunderbaren Vormittag zu erzählen.

Na ja, wenn ich alles im Voraus gewusst hätte, hätte ich diese letzten glücklichen Minuten noch mehr genossen. Denn sofort danach geriet mein Leben aus den Gleisen.
»Wir müssen wieder los«, sagte meine Mutter.
»Wohin?«

»Wie wohin … In die Vorschule natürlich!«
»Nein.«
»Wieso nein?«
»Ich geh da nicht mehr hin.«
»Aha … Und warum?«

»Das ist für mich gelaufen, ich habe gesehen, wie es dort ist, und es interessiert mich nicht. Ich habe genug Dinge in meinem Zimmer zu tun. Ich habe Grududu versprochen, ihm eine Spezialmaschine zu bauen, die ihm hilft, seine Knochen wiederzufinden, die er unter meinem Bett verbuddelt hat. Deshalb bleibt mir keine Zeit mehr, dorthin zu gehen.«

Meine Mutter kniete sich vor mich hin und ich schüttelte den Kopf.
Sie ließ nicht locker und ich fing an zu weinen.
Sie hob mich hoch und ich fing an zu brüllen.
Und sie haute mir eine runter.

Das war das erste Mal in meinem Leben.
Bitte sehr!
Das war also die Schule.
Das war der Anfang eines Albtraums.

Diese Geschichte hörte ich meine Eltern hunderttausendmal erzählen. Ihren Freunden, den Vorschullehrerinnen, den anderen Lehrern, den Psychologen, den Logopäden und der Beratungslehrerin. Und jedes Mal, wenn ich sie hörte, wurde ich daran erinnert, dass ich Grududu niemals seine Knochensuchmaschine gebaut habe.

Jetzt bin ich 13 und in der sechsten Klasse. Ja, ich weiß, da stimmt was nicht. Ich erkläre es euch sofort. Macht euch nicht die Mühe, es an euren Fingern abzuzählen. Ich bin zweimal sitzen geblieben, in der dritten und in der sechsten.

Schule ist immer ein Drama zu Hause, das könnt ihr euch vorstellen ... Meine Mutter heult und mein Vater motzt mich an, oder es ist genau das Gegenteil, meine Mutter motzt und mein Vater sagt nichts. Sie so zu sehen macht mich ganz unglücklich. Aber was soll ich machen? Was soll ich ihnen dazu sagen? Nichts. Ich kann nichts sagen, denn wenn ich den Mund aufmache, wird es noch schlimmer. Ihnen fällt nichts anderes ein, als wie Papageien immer wieder dasselbe nachzuplappern: »Du musst mehr lernen!«

»Lernen!« – »Lernen!« – »Lernen!«
»Lernen!«

Gut. Ich hab verstanden. Ich bin ja trotz allem nicht völlig schwachsinnig. Ich würde gerne mehr lernen; das Problem ist nur, dass es mir nicht gelingt. Alles, was in der Schule vor sich geht, kommt mir chinesisch vor. Zum einen Ohr geht es rein und zum anderen raus. Sie haben mich zu Tausenden von Ärzten geschleppt, für die Augen, für die Ohren und sogar fürs Gehirn. Und das Ergebnis dieser ganzen verlorenen Zeit: Ich hab ein Konzentrationsproblem. Du glaubst es nicht! Ich weiß ganz genau, was mit mir los ist. Es würde genügen, mich einfach zu fragen. Ich habe kein Problem, kein einziges. Es interessiert mich nur einfach alles nicht.
Es interessiert mich nicht. Punkt. Aus. Schluss.

Ein einziges Jahr fühlte ich mich in der Schule wohl. Das war im letzten Jahr der Vorschule, mit einer Lehrerin, die Marie hieß. Sie werde ich nie vergessen.
Wenn ich daran zurückdenke, kommt es mir vor, als sei Marie nur Lehrerin geworden, um das wei-

termachen zu können, was sie am liebsten tut, nämlich basteln, Dinge erfinden und zusammenbauen. Ich mochte sie auf Anhieb. Vom ersten Morgen des ersten Tages an. Sie trug Kleider, die sie selbst genäht, Pullis, die sie selbst gestrickt, und Schmuck, den sie selbst entworfen hatte. Es verging kein Tag, an dem wir nicht irgendetwas mit nach Hause brachten: einen Igel aus Pappmaschee, eine Katze mit einer Milchflasche, eine Maus in einer Nussschale, Mobiles, Zeichnungen, Bilder, Collagen ... Das war eine Lehrerin, die nicht bis zum Muttertag wartete, um uns mit Schere und Pinsel zu bewaffnen. Sie sagte immer, ein gelungener Tag ist ein Tag, an dem man irgendetwas hergestellt hat. Wenn ich daran denke, wird mir klar, dass dieses Glücksjahr auch der Anfang meiner ganzen Misere war. Denn in diesem Moment hatte ich eine ganz einfache Sache kapiert: Nichts auf der Welt interessierte mich mehr als meine Hände und das, was ich mit ihnen gestalten konnte.

Um mit Marie zum Ende zu kommen, ich weiß auch, was ich ihr verdanke. Einen einigermaßen erfolgreichen Start in der Schule. Sie hatte genau verstanden, mit wem sie es zu tun hatte. Sie wusste, dass mir schnell die Tränen kamen, wenn ich meinen Vornamen schreiben musste, dass ich mir nichts merken konnte. Und dass es der Horror für mich war, einen Kinderreim aufzusagen. Am Ende des Jahres ging ich am letzten Tag zu ihr, um ihr Auf Wiedersehen zu sagen. Meine Kehle war zugeschnürt und es fiel mir schwer zu sprechen. Ich gab ihr mein Geschenk. Es war ein super Behälter für Stifte mit einer Schublade für Büroklammern, einer anderen für Heftzwecken, einem Platz für ihren Radiergummi und das ganze Zeug. Ich hatte Stunden damit zugebracht, ihn anzufertigen und zu verzieren. Sie freute sich sehr und war genauso gerührt wie ich. Sie sagte zu mir:

»Ich hab auch ein Geschenk für dich, David ...«

Es war ein großes Buch. Und sie fügte hinzu:

»Nächstes Jahr wirst du bei den Großen sein, in

der Klasse von Madame Daret, und du wirst dir viel Mühe geben müssen ... Weißt du, warum?«
Ich schüttelte den Kopf.
»Um alles entziffern zu können, was hier drinsteht ...«

Zu Hause bat ich meine Mutter, mir den Titel vorzulesen. Sie legte das große Buch auf ihre Knie und sagte:
»*1000 Beschäftigungen für kleine Hände.* Oje, da ist ja ein herrliches Durcheinander in Aussicht!«

Madame Daret konnte ich nicht ausstehen. Ich konnte ihre Stimme nicht ertragen, ihre ganze Art und ihre blöde Angewohnheit, immer Lieblinge zu haben. Aber ich lernte lesen, weil ich das Nilpferd in der Eierschachtel von Seite 124 basteln wollte.

In mein Vorschulabschlusszeugnis hatte Marie geschrieben:
»Dieser Junge hat ein Gedächtnis wie ein Sieb, Finger wie eine Fee und ein riesengroßes Herz. Es müsste gelingen, daraus etwas zu machen.«
Das war das erste und das letzte Mal in meinem

Leben, dass ein Lehrer etwas Nettes über mich sagte.

Auf jeden Fall kenne ich jede Menge Leute, die die Schule nicht mögen. Wenn ich euch zum Beispiel frage: »Magst du die Schule?«, werdet ihr den Kopf schütteln und mit Nein antworten, das ist doch wohl klar. Nur die super Streber werden Ja sagen oder die, die so gut sind, dass es ihnen Spaß macht, sich jeden Morgen neuen Anforderungen zu stellen. Aber davon abgesehen ... Wer mag sie wirklich? Keiner. Und wer hasst sie wirklich? Gut, auch nicht die Welt. Na ja. Es gibt die, die wie ich sind, die man Faulenzer nennt und denen die ganze Zeit schlecht ist.

Wenn der Wecker klingelt, bin ich immer mindestens schon eine Stunde wach, und eine Stunde lang ist mir schlecht und mein Magen bläht sich immer weiter auf … In dem Moment, wo ich aus dem Bett steige, ist mir dermaßen übel, dass ich den Eindruck habe, auf einem Schiff im offenen Meer zu sein. Das Frühstück ist eine Qual. Ich sage euch, ich kriege nichts hinunter, aber da mir meine Mutter immer im Nacken sitzt, esse ich ein paar Zwiebäcke. Im Bus verwandeln sich meine Magenschmerzen in einen harten Knoten. Wenn ich meine Freunde treffe und wir zum Beispiel von Zelda reden, wird es ein bisschen besser, der Knoten löst sich. Aber wenn ich alleine bin, erstickt er mich fast. Am allerschlimmsten ist es, wenn ich auf dem Schulhof ankomme. Der Geruch der Schule macht mich am meisten krank. Die Jahre vergehen und die Orte ändern sich, aber der Geruch bleibt der gleiche. Diese Mischung aus Kreide und alten Turnschuhen schnürt mir die Kehle zu und ich könnte kotzen.

Gegen vier Uhr nachmittags beginne ich mich zu entspannen, und der Knoten ist völlig verschwunden, wenn ich wieder in meinem Zimmer bin. Er kommt zurück, wenn meine Eltern nach Hause kommen und mich fragen, wie mein Tag war, und in meiner Tasche herumschnüffeln, um mein Hausaufgabenheft und mein Berichtheft zu überprüfen. Aber es wird weniger, weil ich die Krisen mit ihnen ja schon gewohnt bin.

Na ja ... Nein, jetzt lüge ich ... Ich gewöhne mich überhaupt nicht daran. Eine Krise folgt der nächsten und ich schaffe es nicht, damit klarzukommen. Das ist ziemlich nervig. Da meine Eltern sich nicht mehr so wahnsinnig lieben, müssen sie sich eben jeden Abend streiten; und da sie nicht genau wissen, wie sie anfangen sollen, nehmen sie sich mich und meine beschissenen Noten als Vorwand. Es ist immer die Schuld des einen oder des anderen. Meine Mutter wirft meinem Vater vor, sich nie Zeit für mich genommen zu haben, und mein Vater antwortet ihr, es sei ihre Schuld. Sie habe mich zu sehr verwöhnt.

Ich habe es satt, ich habe es satt.
Ich habe es so satt, wie ihr euch gar nicht vorstellen könnt.

In diesen Momenten verschließe ich meine Ohren von innen und konzentriere mich auf das, was ich gerade baue: ein Raumschiff für Anakin Sky-

walker aus meinem Lego System oder einen Apparat, um Zahnpastatuben auszupressen, aus meinem Baukasten oder eine riesige Pyramide aus Holzbausteinen. Danach quäle ich mich mit meinen Hausaufgaben. Wenn meine Mutter mir hilft, endet es jedes Mal damit, dass sie anfängt zu weinen. Und bei meinem Vater bin ich es immer, der am Ende heult.

Nicht dass ihr denkt, meine Eltern sind völlig daneben oder nörgeln wirklich den ganzen Tag an mir rum. Nein, nein, sie sind super, wirklich super ... Na gut, sie sind normal. Nur die Schule verdirbt alles. Deshalb habe ich letztes Jahr übrigens gerade mal die Hälfte der Aufgaben in mein Hausaufgabenheft eingetragen, um diese ganzen Auseinandersetzungen und schrecklichen Abende zu vermeiden. Das ist wirklich der einzige Grund. Aber ich traute mich nicht, das der Schuldirektorin zu sagen, als ich mich in Tränen aufgelöst in ihrem Büro wiederfand. Ziemlich dämlich.

Auf jeden Fall war es gut, dass ich meinen Mund gehalten habe. Was hätte sie schon verstanden, diese aufgeblasene Pute! Nichts, da sie mich im darauf folgenden Monat von der Schule geschmissen hat.

Wegen Sport hat sie mich gefeuert. Ihr müsst wissen, dass ich Sport fast genauso hasse wie die Schule. Nicht ganz so, aber fast. Eins ist sicher, wenn ihr mich sehen könntet, würdet ihr besser verstehen, warum Turnmatten und ich zwei grundverschiedene Dinge sind. Ich bin nicht sehr groß, nicht sehr kräftig und nicht sehr stark. Ich würde sogar sagen: Ich bin nicht sehr groß, nicht sehr kräftig und ein totaler Schlaffi.

Manchmal kommt es vor, dass ich die Hände in die Hüften stemme, mich im Spiegel angucke und mich dabei in die Brust werfe. Ganz schön merkwürdig, wie ein Regenwurm, der Bodybuilding macht, oder wie der, der bei *Asterix als Legionär* mitmischen will: Man denkt, er ist richtig breitschultrig, aber als er seinen Fellmantel aufschlägt, merkt man, dass er nur ein schmächtiges Kerlchen ist. Wenn ich mein Spiegelbild sehe, muss ich an ihn denken.

Aber gut, ich kann mir nicht über *alles* im Leben den Kopf zerbrechen. Man muss auch Ballast abwerfen können, sonst wird man ja völlig bescheuert. Und den Ballast warf ich letztes Jahr in der Sportstunde ab. Ich brauche nur dieses Wort zu schreiben und alles taucht wieder vor mir auf. Madame Berluron und ihrem Sportunterricht verdanke ich die wunderbarsten Lachanfälle meines Lebens.

Das fing immer so an:
»Dubosc, David«, rief sie und guckte dabei in ihr Notizbuch.
»Ja.«
Ich wusste, dass die Turnübungen wieder in die Hose gehen würden und ich mich dabei lächerlich machte. Ich fragte mich, wo das alles hinführen sollte.
Ich ging nach vorne, und die anderen fingen schon an zu kichern.
Aber dieses eine Mal machten sie sich nicht über meine Unfähigkeit lustig, sie lachten über meinen Aufzug. Ich hatte meine Sachen vergessen, und da es das dritte Mal in diesem Trimester war, lieh ich mir welche von Benjamins Bruder, um nicht wieder nachsitzen zu müssen (ich musste in einem Jahr so viel nachsitzen wie ihr in eurem ganzen Leben nicht). Was ich nicht wusste, war, dass Benjamins Bruder ein Klon von Hulk war und 1,90 groß ...
Also watschelte ich nun in einem Trainingsanzug

XXL und in Turnschuhen Größe 45 daher. Überflüssig zu erwähnen, dass ich einen kleinen Lacherfolg erzielte ...

»Was soll denn jetzt dieser Aufzug!«, brüllte die alte Berluron rum.
Ich setzte mein dummes Gesicht auf und sagte:
»Hmm, ich verstehe es auch nicht, in der letzten Woche passten mir die Sachen noch ... Ich verstehe es nicht ...«
Sie schien ziemlich entnervt.
»Du machst mir jetzt eine Doppelrolle vorwärts mit geschlossenen Füßen.«
Ich schlug einen ersten katastrophalen Purzelbaum und verlor dabei einen Turnschuh. Die anderen lachten sich schlapp über mich, und um ihnen ihren Spaß zu lassen, schlug ich noch einen Purzelbaum und versuchte, den zweiten Latschen gegen die Decke zu schießen.
Als ich wieder aufstand, sah man ein Stück meiner Unterhose, weil meine Trainingshose runtergerutscht war. Madame Berluron war ganz rot und die Klasse lachte sich krank. Als ich die ganzen Lacher hörte, fiel der Groschen endlich. Dieses eine Mal war es kein böses Lachen, das waren

Superlacher, wie im Zirkus, und von diesem Augenblick an beschloss ich, der Clown der Sportstunde zu werden. Madame Berlurons Narr. Wenn du die Leute über dich lachen hörst, wird dir ganz warm ums Herz und danach ist es wie eine Droge: Je mehr die Leute lachen, umso mehr hast du Lust, sie zum Lachen zu bringen.

Madame Berluron ließ mich so oft nachsitzen, dass es keine freien Seiten mehr in meinem Berichtheft gab. Letztendlich bin ich deswegen sogar von der Schule geflogen, aber ich bereue nichts. Ihretwegen fühlte ich mich ein ganz kleines bisschen glücklicher in der Schule, ein ganz kleines bisschen nützlicher.

Man muss schon sagen, ich habe ein unvorstellbares Chaos veranstaltet. Vorher wollte mich niemand in seiner Mannschaft haben, weil ich eine große Niete war, und danach schlugen sie sich um mich, weil ich mit meinen Faxen die Gegner aus dem Gleichgewicht brachte. Ich erinnere mich an einen Tag, an dem man mich ins Tor gestellt hatte … Was für ein Spaß … Als sich der Ball näherte, kletterte ich das Tornetz hoch wie ein wild gewordener, vor Angst brüllender Affe. Und

als ich ihn wieder zurück ins Spiel befördern sollte, versuchte ich, den Ball hinter mich zu kicken,
und schoss uns ein Eigentor.

Einmal schmiss ich mich sogar nach vorne, um
den Ball zu halten. Natürlich rührte ich ihn nicht
an, aber als ich wieder aufstand, kaute ich ein
Büschel Gras wie eine Kuh und rief »Muuhhh«.
Karin Lelièvre machte sich an diesem Tag vor
Lachen in die Hose und ich musste zwei Stunden
nachsitzen ... Aber das war die Sache wert.

Das Bockspringen war schuld, dass ich von der
Schule flog. Das verstand ich irgendwie nicht, weil
ich gerade dieses eine Mal nicht den Witzbold ge-
spielt hatte. Wir mussten über dieses große Holz-
dings mit Gummiüberzug springen und uns dabei
mit den Händen abstützen. Und als ich an der
Reihe war, stellte ich mich ungeschickt an und tat
mir unheimlich weh am ..., also am ..., also, ihr
habt verstanden, was ich sagen will ... Ich hatte
sozusagen fast meinen Pimmel zerquetscht. Natürlich glaubten die anderen, dass ich ihnen nur was
vormachte, um sie zum Lachen zu bringen, als ich
Auaaaaa schrie. Und die Berluron zog mich sofort
zum Direx. Ich bog mich vor Schmerzen, aber

ich habe nicht geheult. Diesen Gefallen wollte ich ihnen nicht tun.

Auch meine Eltern glaubten mir nicht, und als sie erfuhren, dass man mich wirklich vor die Tür setzen wollte, hatte mein Stündlein geschlagen. Dieses eine Mal waren sie sich einig und machten ihrem Herzen Luft.

Als sie mich endlich in mein Zimmer gehen ließen, schloss ich die Tür und setzte mich auf den Boden. Ich sagte mir: »Entweder du wirfst dich auf dein Bett und heulst. Und du hättest allen Grund zum Heulen, weil dein Leben nichts wert ist und du auch nicht und weil du sofort ohne Probleme sterben könntest. Oder du stehst auf und baust etwas.« An diesem Abend stellte ich ein Furcht erregendes Ungeheuer her aus lauter Schund, den ich auf einer Baustelle gesammelt hatte, und ich nannte es »die behaarte Berlu«.

Das war nicht sehr witzig, das gebe ich ja zu, aber es tat mir gut und außerdem verhinderte es, dass ich mein Kopfkissen voll heulte.

Großvater war der Einzige, der mich in dieser Zeit tröstete. Das ist nichts Erstaunliches, weil mein Opa Léon mich immer tröstet, seit ich ein Dreikäsehoch und alt genug bin, ihn in seinen Schuppen zu begleiten.

Opa Léons Schuppen war mein Ein und Alles. Er war meine Zuflucht, meine Alibaba-Höhle. Wenn meine Großmutter uns ein bisschen nervte, drehte er sich zu mir und flüsterte:
»David, hättest du Lust zu einer Spritztour ins Léonland?«
Und wir stahlen uns unter Großmutters spitzen Bemerkungen langsam davon.

»So ist es richtig! Verdirb mir den Kleinen nur …«
Er zog die Schultern hoch und antwortete:
»Ich bitte dich, Charlotte, ich bitte dich. David und ich, wir ziehen uns zurück, weil wir Ruhe brauchen, um nachzudenken.«
»Und um worüber nachzudenken, wenn man fragen darf?«
»Ich denke über mein zurückliegendes Leben nach und David über sein zukünftiges.«
Meine Großmutter wandte sich ab und fügte hinzu, dass sie lieber taub wäre, als sich das anzuhören. Worauf mein Großvater immer antwortete: »Aber meine Liebe, du bist doch schon taub.«

Mein Opa Léon ist genauso ein Bastler wie ich, nur dass er dabei noch intelligent ist. In der Klasse war er ein Ass: Er war immer überall der Beste und eines Tages gestand er mir, dass er sonntags nie Hausaufgaben gemacht hat. (»Warum?« – »Weil ich keine Lust hatte, stell dir vor.«) Er war der Beste in Mathe, in Französisch, in Latein, in Englisch, in Geschichte, in allem! Mit siebzehn wurde er auf die Ingenieurshochschule in Paris geschickt, die schwierigste von allen in Frankreich. Und dann konstruierte er riesige Dinge: Brücken, Autobahnkreuzungen, Tunnel, Talsperren usw. Als ich ihn fragte, was er genau gemacht hatte, zündete er seinen Zigarettenstummel wieder an und dachte laut nach:

»Ich weiß es nicht. Ich konnte meine Aufgabe nie genau beschreiben ... Sagen wir mal, man bat mich, Pläne noch einmal zu lesen und meinen Kommentar abzugeben: Wird das Dings stabil genug sein oder zusammenkrachen?«

»Das ist alles?«

»Das ist alles, das ist alles ... Das ist schon nicht schlecht, mein Junge! Wenn du Nein sagst und die Talsperre stürzt trotzdem ein, halten sie dich für einen Schwachkopf, glaub mir!«

Großvaters Schuppen ist der Ort, an dem ich mich auf der Welt am glücklichsten fühle. Obwohl es nichts Großartiges ist. Ein Schuppen ganz hinten im Garten, aus Brettern mit gewellter Dachpappe, worin es im Winter zu kalt und im Sommer zu heiß ist. Sooft ich kann, bin ich dort. Um zu basteln, um Werkzeuge oder Holzteile auszuleihen, um meinem Opa Léon bei der Arbeit zuzusehen (zurzeit zimmert er ein Möbel nach Maß für ein Restaurant), um ihn um Rat zu fragen oder ganz einfach nur so. Aus Freude, an einem Ort zu sein, der zu mir passt. Eben habe ich euch von dem Geruch der Schule erzählt, bei dem ich mich am liebsten übergeben würde; hier ist es das Gegenteil. Wenn ich dieses voll gestopfte Kabuff betrete, blä-

he ich meine Nasenflügel auf, um diesen Glücksgeruch einzuatmen. Den Geruch von Schmieröl, Fett, elektrischen Heizradiatoren, geschweißtem Eisen, Holzleim, Tabak und vielem mehr. Das ist sensationell. Ich habe mir geschworen, sollte es mir eines Tages gelingen, diesen Geruch zu destillieren, dann werde ich ein Parfüm erfinden und es »Léonwasser« nennen. Um es einzuatmen, wenn mir das Leben übel mitspielt.

Als er erfuhr, dass ich die dritte Klasse wiederholen muss, nahm mich Opa Léon auf seine Knie
und erzählte mir die Geschichte vom Hasen und
der Schildkröte. Ich erinnere mich sehr genau,
wie ich mich an ihn kuschelte und seiner sanften
Stimme zuhörte.

»Siehst du, mein Großer, niemand setzte auch nur
einen Heller auf diese blöde Schildkröte, sie war
viel zu langsam ... Und dennoch hat sie gewonnen. Und weißt du, warum? Sie hat gewonnen,
weil sie eine kleine tapfere Frau war, mutig und
beherzt. Und du, David, bist auch mutig ... Ich
weiß es, ich habe dich bei der Arbeit beobachtet.
Wie du Stunden damit verbracht hast, in der Kälte
ein Stück Holz abzuschmirgeln oder deine Mo-
dellentwürfe anzumalen ... Für mich bist du wie
diese Schildkröte.«

»Aber in der Schule lässt uns kein Mensch schmir-
geln!«, antwortete ich ihm schluchzend. »Man
lässt uns nur unmögliche Dinge tun.«

Als er das von der sechsten Klasse erfuhr, war der
Ton ein anderer.
Ich kam zu ihnen wie immer und er antwortete
mir nicht mal, als ich ihn grüßte. Wir aßen schwei-

gend, und nach dem Kaffee blieb er einfach sitzen.

»Opa Léon?«

»Was?«

»Gehen wir in den Schuppen?«

»Nein.«

»Warum nicht?«

»Weil mir deine Mutter die schlechte Nachricht mitgeteilt hat ...«

»...«

»Ich verstehe dich nicht. Du hasst die Schule, aber du tust alles, um so lange wie möglich dort zu bleiben ...«

Ich antwortete nicht.

»Aber du bist nicht so dumm, wie man es dir einredet. Oder doch?«

Sein Ton war streng.

»Ja.«

»Mensch, das macht mich noch wahnsinnig! Natürlich ist es viel einfacher zu sagen, man ist eine Null. Und dann kann man die Hände in den Schoß legen! Natürlich! Das ist Schicksal! Es ist so einfach zu glauben, dass man dazu verdammt ist. Also! Was hast du jetzt vor? Du wirst die siebte wiederholen und dann die achte, und mit ein wenig Glück hast du dein Abitur mit 30 Jahren!«

Ich zupfte an einer Kissenecke herum und wagte nicht hochzugucken.

»Nein wirklich. Ich verstehe dich nicht. Auf jeden Fall zähle nicht mehr auf den alten Léon. Ich mag Leute, die ihr Leben in die Hand nehmen. Ich mag keine Feiglinge, die sich beklagen und wegen mangelnder Disziplin von der Schule fliegen. Das hat wirklich keinen Sinn. Gefeuert werden und dann sofort sitzen bleiben. Bravo! Feine Sache. Herzlichen Glückwunsch! Wenn ich daran denke, dass ich dich immer verteidigt habe … Immer. Ich habe deinen Eltern gesagt, sie sollen Vertrauen haben, ich habe Entschuldigungen für dich gefunden, ich habe dich ermutigt! Ich will dir was sagen, mein Freund: Es ist viel leichter unglücklich zu sein als glücklich, und ich, hörst du, ich mag die Leute nicht, die den Weg des geringsten Widerstands gehen, ich mag keine Jammerlappen! Verdammt, sei glücklich. Tu etwas, streng dich an, um glücklich zu sein!«

Und er fing an zu husten. Meine Großmutter kam angelaufen und ich ging raus.

Ich bin in den Schuppen gegangen. Mir war sehr kalt. Ich setzte mich auf einen alten Kanister und fragte mich, was ich wohl tun könnte, um mein Leben in die Hand zu nehmen.

Ich wollte gerne *alles* auf einmal bauen, aber da hatte ich ein Problem: Ich hatte kein Projekt, kein

Modell, keine Pläne, kein Material, kein Werkzeug, nichts. Ich hatte nur einen riesigen Stein auf dem Herzen, der mich daran hinderte loszuheulen. Mit meinem Taschenmesser ritzte ich etwas in die Hobelbank und dann ging ich nach Hause, ohne Auf Wiedersehen zu sagen.

Zu Hause dauerte die Krise länger an als gewöhnlich, war lauter und beängstigender. Wir hatten Ende Juni und keine Schule wollte mich im September nehmen. Meine Eltern rauften sich die Haare und bekamen sich in die Wolle. Das war anstrengend. Und ich sank jeden Tag ein bisschen mehr in mich zusammen. Wenn es mir gelänge, mich ganz klein und unsichtbar zu machen, könnte ich am Ende vielleicht ganz verschwinden und all meine Probleme wären mit einem Schlag gelöst.

Am 11. Juni wurde ich aus der Schule entlassen. Anfangs hing ich den ganzen Tag zu Hause rum. Morgens guckte ich das 5. Programm oder »Teleshopping« (bei »Teleshopping« gibt es immer unglaubliche Dinge) und nachmittags las ich meine alten Comics oder machte mit dem 5000-teiligen Puzzle weiter, das mir meine Tante Fanny geschenkt hatte.

Aber das hatte ich schnell satt. Ich musste etwas finden, wo ich richtig mit meinen Händen arbeiten konnte. Also durchsuchte ich das Haus, ob es nicht Verbesserungen gab, die in Angriff zu nehmen waren. Meine Mutter beklagte sich oft über das Bügeln. Sie wünschte sich, dabei sitzen zu können. Ich machte mich also an das Problem.
Ich montierte den Fuß des Bügeltischs ab, der sie

daran hinderte, ihre Beine darunter zu stellen. Ich berechnete die Höhe und befestigte ihn auf vier Holzbeinen, als handelte es sich um einen ganz normalen Arbeitstisch. Dann kamen die vier Räder eines kleinen Rolltischs wieder zum Einsatz, den ich letzte Woche auf dem Bürgersteig gegenüber gefunden hatte. Ich schraubte sie an einen Stuhl, der nicht mehr benutzt wurde. Ich verstärkte sogar die Abstellfläche für ihr neues Bügeleisen. Sie hatte sich ein Dampfbügeleisen von Moulinex gekauft und ich bezweifelte, dass die alte Abstellfläche stabil genug war. Das kostete mich zwei ganze Tage. Anschließend nahm ich mir den Motor des Rasenmähers vor. Ich nahm ihn völlig auseinander und setzte ihn dann Stück für Stück wieder zusammen. Er sprang beim ersten Versuch an. Mein Vater wollte es mir nicht glauben, aber ich hatte genau gewusst, dass es nicht nötig war, ihn ins Gartencenter zu bringen. Er war nur völlig verschmutzt.

An diesem Abend war die Stimmung beim Essen viel entspannter. Meine Mutter hatte mir einen Schinken-Käse-Toast gemacht, mein Lieblingsgericht, um sich bei mir zu bedanken, und mein

Vater schaltete ausnahmsweise nicht den Fernseher an.

Er sprach als Erster:

»Weißt du, was das wirklich Ärgerliche mit dir ist, mein Freund, du bist trotz allem begabt ... Also, was kann man machen, um dir zu helfen? Tatsache ist, dass du die Schule nicht magst. Aber bis sechzehn ist die Schule Pflicht, das weißt du doch?«

Ich nickte.

»Das ist ein Teufelskreis: Je weniger du arbeitest, umso mehr hasst du die Schule; je mehr du sie hasst, umso weniger arbeitest du ... Wie willst du da rauskommen?«

»Ich werde warten, bis ich sechzehn bin, und dann die Ärmel wieder hochkrempeln.«

»Du träumst doch! Wer wird dich denn einstellen?«

»Niemand, ich weiß das, aber ich werde Dinge erfinden und herstellen. Ich brauche nicht viel Geld zum Leben.«

»Oh, glaub das nicht! Natürlich brauchst du nicht so reich zu werden wie Onkel Dagobert, aber du wirst doch mehr Geld nötig haben, als du denkst. Du musst Werkzeuge kaufen, eine Werkstatt, einen

Lastwagen ... und was weiß ich noch? Egal, lassen wir diese Geschichte mit dem Geld für einen Moment beiseite. Das beschäftigt mich nicht in erster Linie. Lass uns lieber über das Lernen sprechen ... Verzieh das Gesicht nicht so, David, sieh mich bitte an. Du wirst es zu nichts bringen ohne ein Mindestmaß an Kenntnissen. Stell dir vor, du erfindest ein Wahnsinnsding. Du musst ein Patent anmelden, stimmt's? Und das musst du in korrekter Sprache schreiben ... Und dann gibt man eine Erfindung nicht einfach so ab, man braucht Pläne, Skalen, Berechnungen, um ernst genommen zu werden, sonst wird man dir deine Idee klauen, in null Komma nix.«

»Glaubst du?«

»Ich glaube es nicht, ich bin mir dessen sicher.«

Ich war völlig verdattert, ich hatte das vage Gefühl, dass er Recht hatte.

»Weil ... Wisst ihr, ich habe eine Erfindung gemacht, die mich und meine Kinder reich machen könnte und vielleicht sogar noch euch ...«

»Worum handelt es sich?«, fragte meine Mutter lächelnd.

»Schwört ihr mir, die Information geheim zu halten?«

»Ja«, sagten sie einstimmig.

»Schwört es.«

»Ich schwöre.«

»Ich auch.«

»Nein, Mama. Sag ›ich schwöre es‹.«

»Ich schwöre es.«

»Also gut … Es sind Spezialschuhe, extra entworfen fürs Trekking … Sie müssten einen kleinen beweglichen Absatz haben. Man würde ihn in Normalposition stellen, wenn man hochklettert, und ihn wegklappen, wenn es flach wird, und wieder aufstellen in dem Moment, wo man wieder runtersteigt, aber nicht an der gleichen Stelle wie vorher, sondern unter den Zehen; so würde man immer im Gleichgewicht bleiben …«

Meine Eltern stimmten mir zu.

»Seine Idee ist nicht dumm«, sagte meine Mutter. »Jetzt müsstest du Beziehungen zu einer Sportartikelfirma spielen lassen können.«

Es freute mich zu spüren, dass sie sich für mich interessierten. Aber der Reiz verflog, als mein Vater hinzufügte:

»Und um deine Wunderidee zu verkaufen, musst du gut in Mathe sein, in Informatik und in Wirtschaft. Du siehst, wir kommen auf das zurück, was ich dir vorhin gesagt habe.«

Ich machte irgendwie so weiter bis Ende Juni. Ich half unseren neuen Nachbarn, ihren Garten in Ordnung zu bringen. Ich riss so viel Unkraut heraus, dass meine Finger anschwollen und grünlich wurden. Man könnte sagen wie die Hände von Hulk.

Unsere Nachbarn hießen Monsieur und Madame Martineau. Sie hatten einen Sohn, Charles, der genau ein Jahr älter war als ich. Aber ich verstand mich nicht mit ihm. Er klebte dauernd an seinem Nintendo oder sah schwachsinnige Serien, und jedes Mal, wenn er mit mir sprach, wollte er nur wissen, in welche Klasse ich nächstes Jahr gehen würde. Das wurde am Ende leicht nervig.

Meine Mutter setzte ihre Telefonate fort, um eine Einrichtung zu finden, die die große, unermessliche Güte haben würde, sich dazu herabzulassen, mich im September aufzunehmen. Jeden Morgen erhielten wir tonnenweise Prospekte mit der Post. Schöne Fotos auf Hochglanzpapier, die die Verdienste dieser oder jener Schule in den höchsten Tönen priesen.

Das klang alles ziemlich hochtrabend und war völlig verlogen. Ich blätterte sie kopfschüttelnd durch. Ich fragte mich vor allen Dingen, wie sie es fertig gebracht hatten, die Schüler lächelnd zu fotografieren. Entweder hatte man sie bezahlt, oder ihnen gerade verkündet, dass ihr Französischlehrer in eine Felsschlucht gefallen war. Nur eine Schule gefiel mir. Aber sie lag am Ende der Welt in der Nähe von Valence. Auf den Fotos saßen die Schüler nicht blöde grinsend hinter einem Pult. Man sah sie in einem Gewächshaus Pflanzen eintopfen oder neben einer Hobelbank Holzbretter schneiden, und sie lächelten nicht, sie waren konzentriert. Das schien nicht schlecht zu sein, aber es war ein technisches Gymnasium. Ohne Vorwarnung kamen meine Magenschmerzen wieder.

Monsieur Martineau machte mir den Vorschlag, ihm zu helfen, seine alte Tapete zu entfernen – für Geld. Ich akzeptierte. Wir gingen in den Baumarkt und mieteten zwei Dampfgeräte. Seine Frau und Charles waren in die Ferien gefahren und meine Eltern arbeiteten. Wir hatten Ruhe.

Wir leisteten gute Arbeit. Aber es war ganz schön anstrengend. Vor allen Dingen wegen der Hitze. Im Dampf stehen bei 30 Grad im Schatten, ich brauche euch das nicht zu sagen, das ist die reinste Sauna. Ich trank zum ersten Mal in meinem Leben Bier und fand es ekelhaft.

Opa Léon kam vorbei, um uns zur Hand zu gehen. Monsieur Martineau war begeistert. Er sagte: »Wir sind einfache Arbeiter, aber Sie sind ein Mann der Kunst, Monsieur Dubosc ...« In der Tat, Großvater steckte seine Nase in alle heiklen

Probleme, egal, ob Installationen oder Elektroanschlüsse, während uns der Schweiß auf der Stirn stand und wir rumfluchten.

Monsieur Martineau sagte oft Scheiße und deklinierte: merda merdae merdae merdam merda (das ist dasselbe in Latein).

Schließlich schrieben mich meine Eltern in der Jean-Moulin-Schule ein, direkt in unserer Nähe. Am Anfang wollten sie mich nicht dort hinschicken, weil sie einen schlechten Ruf hat. Das Niveau schien gleich null zu sein, und die Schüler erpressten Schutzgelder untereinander. Aber da sie die Einzige war, die mich akzeptierte, hatten sie keine Wahl. Sie gaben meine Unterlagen ab und ich ging zum Fotoautomaten, um Passfotos zu machen. Ich sah wirklich ziemlich schlimm aus auf diesen kleinen Fotos. Sie konnten sehr zufrieden sein mit dem neuen Mitglied der Jean-Moulin-Schule. Ein dreizehnjähriger Kerl in der sechsten Klasse mit Händen wie Hulk und einem Kopf wie Frankenstein ... Das war ein gutes Geschäft!

Der Monat Juli verging wie im Fluge. Ich lernte tapezieren. Ich lernte Bahnen mit Leim einzukleistern. Ich lernte die Bahn richtig zu falten, mit dem Nahtroller umzugehen, die Ränder anzudrücken und die Luftblasen glatt zu rollen. Ich lernte tausend Dinge. Ich kann heute sagen, ich bin ein Ass im Umgang mit Leim und Streifentapete. Ich half meinem Großvater, die elektrischen Kabel zu entwirren und den Strom zu testen.

»Klappt es?«

»Nein.«

»Und jetzt?«

»Nein.«

»Verdammt. Und jetzt?«

»Ja.«

Ich bereitete Sandwiches von 60 Zentimetern Länge zu, ich lackierte die Türen, tauschte Sicherungen aus und hörte im Radio einen Monat lang jeden Tag meine Lieblingssendung. Ein Glücksmonat. Ich hätte mir gewünscht, dass es niemals aufhörte und ich im September auf einer anderen Baustelle mit einem neuen Chef würde anfangen können. Daran dachte ich, als ich in mein Wurstbrot biss: Noch drei Jahre die Zeit absitzen und dann Auf Wiedersehen.

Drei Jahre, das ist lang.

Und dann gab es da noch was anderes, was mir Kummer bereitete, Großvaters Gesundheit. Er hustete immer öfter und immer länger und er setzte sich für jede Kleinigkeit hin. Meiner Großmutter musste ich versprechen, ihn vom Rauchen abzuhalten, aber das gelang mir nicht. Er antwortete mir:

»Lass mir dieses Vergnügen, mein kleiner Toto. Bald werde ich tot sein.«

Diese Antwort machte mich verrückt.

»Nein, Toto, *wegen* dieses Vergnügens wirst du sterben.«

Er lachte:

»Seit wann erlaubst du dir, mich Toto zu nennen, Toto?«

Wenn er mich so anlächelte, war mir bewusst, dass er die Person war, die ich am meisten auf der Welt liebte, und dass er nicht das Recht hatte zu sterben. Niemals.

Am letzten Tag lud Monsieur Martineau Großvater und mich in ein sehr gutes Restaurant ein. Und nach dem Kaffee rauchten sie zwei superdicke Zigarren. Ich wagte gar nicht an den Kummer seiner Lolotte zu denken, wenn sie das gesehen hätte …

Als wir uns verabschiedeten, reichte mir unser Nachbar einen Umschlag.

»Hier, nimm, ist schon gut ... Du hast es dir wirklich verdient.«

Ich machte ihn nicht sofort auf. Ich öffnete ihn auf meinem Bett, als ich wieder zu Hause war. Er enthielt zweihundert Euro. Vier orange Scheine ... Ich war völlig sprachlos. Noch nie in meinem Leben hatte ich so viel Geld besessen oder gesehen. Ich wollte meinen Eltern nichts davon erzählen, weil sie mir ständig mit meinem Sparbuch in den Ohren liegen würden. Ich versteckte die Scheine an einem Ort, an dem niemand auf der Welt auf die Idee kommen würde, sie zu suchen, und zerbrach mir den Kopf, den Kopf, den Kopf ...

Was könnte ich mir alles dafür kaufen? Motoren für meine Modellflugzeuge? (Die sind verdammt teuer.) Comics? Das Computerprogramm »Hundert außergewöhnliche Erfindungen«? Eine Timberlandjacke? Eine Kettenstichsäge von Bosch?

Von den vier dicken Scheinen wurde mir ganz schwindlig und als wir am 31. Juli abends das Haus abschlossen, um in die Ferien zu fahren, hatte ich über eine Stunde damit zugebracht, ein sicheres Versteck zu suchen. Ich war wie meine Mutter, die mit den Silberleuchtern ihrer Großtante in den Händen durch die ganze Wohnung lief. Ich glaube, wir machten uns beide ein bisschen lächerlich. Ich denke, dass Einbrecher immer viel schlauer sind als wir …

Was diesen Monat August betrifft, gibt es nichts Außergewöhnliches zu berichten. Ich fand ihn nur ziemlich lang und langweilig. Wie jedes Jahr hatten meine Eltern eine Ferienwohnung in der Bretagne gemietet, und wie jedes Jahr musste ich Seite um Seite meines Ferienübungshefts füllen.

Die Eintrittskarte für die sechste, zum zweiten Mal.

Ich verbrachte Stunden damit, auf meinem Stift zu kauen, und beobachtete dabei die Möwen. Ich träumte davon, mich in eine Möwe zu verwandeln. Ich träumte davon, bis ganz unten zum rot-weißen Leuchtturm zu fliegen. Ich träumte davon, mich mit einer Schwalbe anzufreunden und im September, am 4. zum Beispiel, rein zufällig genau am ersten Schultag, mit ihr zusammen in heiße Länder aufzubrechen. Ich träumte davon, die Ozeane zu überqueren, ich träumte, dass wir ...

Und ich schüttelte den Kopf, um zurück in die Wirklichkeit zu kommen.

Ich wandte mich wieder meinem Matheproblem zu, einer schwachsinnigen Aufgabe mit zu stapelnden Zementsäcken. Und ich fing wieder an zu träumen. Eine Möwe vergaß sich, es machte ... platsch!, ein fetter weißer Kotfleck, der meine ganze Seite verschmutzte. Ich träumte davon, was ich alles mit sieben Sack Zement anstellen könnte ...

Also kurz, ich träumte nur.

Meine Eltern überwachten meine Aufgaben nicht so streng wie sonst. Sie hatten auch ihre Ferien. Und sie zeigten keine Lust, sich sonderlich anzustrengen, meine Sauklaue zu entziffern. Sie verlangten nur von mir, dass ich meinen Hintern jeden Morgen auf einen Stuhl hinter einem Schreibtisch pflanzte. Ich fand das alles ziemlich sinnlos. Ich krakelte die Seiten meines Hefts mit Zeichnungen voll, mit Skizzen und verrückten Plänen. Ich langweilte mich nicht, es war nur so, dass mein Leben wenig Eindruck auf mich machte. Ich sagte mir: Hier oder woanders sein, was macht das für einen Unterschied? Da sein oder nicht da sein, was spielt das für eine Rolle? Was hat das schon für eine Bedeutung? (Wie ihr bemerkt, bin ich eine Pflaume in Mathe, aber ich schlag mich tapfer in Philosophie).

Nachmittags ging ich an den Strand mit meiner Mutter oder meinem Vater, aber niemals mit beiden zugleich. Das war auch Teil ihrer Ferienplanung: Sich nicht den ganzen Tag ertragen zu müssen. Was zwischen meinen Eltern ablief, war wirklich nicht besonders toll. Es gab oft Untertöne, spitze und bissige Bemerkungen, die uns in tiefes Schweigen stürzten. Eine Familie, die dauernd schlechte Laune hatte. Ich träumte davon, dass wir mitten in einem sonnigen Kornfeld am Frühstückstisch saßen und lachten wie in der

Caro-Kaffee-Werbung, aber ich machte mir keine Illusionen.

Als es an der Zeit war, unsere Koffer zu packen und das Haus in Ordnung zu bringen, lag so etwas wie Aufatmen in der Luft. Schwachsinnig, so viel Geld auszugeben und so weit zu reisen, um zum Schluss erleichtert wieder nach Hause fahren zu können … Ich fand das idiotisch.

Meine Mutter hatte ihre Kerzenleuchter wieder und ich mein Geld. (Jetzt kann ich es euch ja sagen, ich hatte die Scheine zusammengerollt und sie im Blasrohr meines alten Actionman versteckt!) Die Blätter wurden gelb und meine Magenschmerzen kamen wieder.

Ich ging jetzt auf die Jean-Moulin-Schule.
Ich war nicht mehr der Älteste in meiner Klasse und auch nicht mehr der Schlechteste. Ich schlängelte mich unbemerkt durch. Ich blieb im Hintergrund und versuchte, den großen Mackern in der Schule aus dem Weg zu gehen. Ich gab die Idee mit der Timberlandjacke auf, weil ich große Zweifel hatte, dass ich sie hier lange behalten würde …

Die Schule machte mich nicht mehr so krank wie vorher, aus einem einfachen Grund: Ich hatte kaum noch den Eindruck, zur Schule zu gehen, eher in eine Art Schüler-Zoo, in dem man zweitausend Jugendliche von morgens bis abends zusammenpferchte. Ich lebte irgendwie vor mich hin. Ich war schockiert, wie bestimmte Schüler mit den Lehrern umsprangen. Ich rührte mich so wenig wie möglich. Ich zählte die Tage.

Mitte Oktober bekam meine Mutter einen Wutanfall. Sie duldete nicht länger die Abwesenheit meines Französischlehrers. (Lehrer oder Lehrerin, ich hab das nie rausgekriegt.) Sie konnte meine Ausdrucksweise nicht länger ertragen. Sie sagte, ich würde von Tag zu Tag dümmer. Dumm wie Bohnenstroh. Sie verstand nicht, warum ich niemals Zensuren mit nach Hause brachte, sie wurde hysterisch, wenn sie mich um fünf Uhr abholen kam und sah, wie die Jungs in meinem Alter unter den Arkaden der Einkaufsgalerie Joints rauchten. Also, große Krise zu Hause. Abwechselnd Brüllen und Flennen.
Und die Schlussfolgerung daraus: Internat.
Nach einem turbulenten Abend entschieden mei-

ne Eltern übereinstimmend, mich auf ein Internat zu schicken. Super.

In dieser Nacht knirschte ich mit den Zähnen.

Der nächste Tag war ein Mittwoch. Ich ging zu meinen Großeltern. Meine Großmutter hatte Bratkartoffeln für mich gemacht, wie ich sie mag, und mein Opa Léon wagte es nicht, mich anzusprechen. Die Stimmung war niedergeschlagen.

Nach dem Kaffee gingen wir in seinen Schuppen. Er steckte sich eine Zigarette in den Mund, ohne sie anzuzünden.

»Ich höre auf damit«, gestand er mir. »Ich mach das nicht für mich, wenn du das meinst, ich mach das für meine Nervensäge von Frau ...«

Ich lächelte.

Dann bat er mich, ihm zu helfen, Scharniere anzuschrauben; und dann, endlich, als ich richtig beschäftigt zu sein schien, fing er an, ganz vorsichtig mit mir zu sprechen:

»David?«

»Ja.«

»Du kommst also ins Internat, hat man mir gesagt?«

»...«

»Gefällt dir das nicht?«

»...«

Ich zog es vor zu schweigen. Ich hatte keine Lust mehr, zu heulen wie ein Riesenbaby im dritten Schuljahr.

Er nahm mir die Schranktür ab, die ich zwischen den Händen hielt, legte sie zur Seite, drehte meinen Kopf zu sich und fasste mich am Kinn.

»Hör zu, Toto, hör mir gut zu. Ich weiß mehr Dinge, als du glaubst. Ich weiß, wie sehr du die Schule hasst, und ich weiß auch, was sich bei dir zu Hause abspielt. Na ja, ich weiß es nicht, aber ich kann es mir denken. Ich will sagen, zwischen deinen Eltern ... Ich kann mir gut vorstellen, dass es nicht gerade spaßig ist Tag für Tag ...«

Ich verzog das Gesicht.

»David, du musst mir vertrauen, ich war es, der die Idee mit dem Internat hatte, ich war es, der deiner Mutter diese Idee in den Kopf gesetzt hat ... Guck mich nicht so an. Ich glaube, dass es gut für dich wäre, ein bisschen wegzukommen, Luft zu holen, was anderes zu sehen. Du erstickst zwischen deinen Eltern. Du bist ihr einziger Sohn, sie haben nur dich und sie sehen nur dich. Sie sind sich nicht im Klaren darüber, was sie dir antun, wenn sie sich so sehr auf dich stürzen. Nein, sie sind sich dessen nicht bewusst. Das Übel scheint mir viel tiefer zu liegen. Ich glaube, sie müssten damit anfangen, ihre eigenen Probleme zu lösen, bevor sie sich über dich aufregen. Ich ..., oh nein, David, mach nicht so ein Gesicht. Nein, mein Großer, ich wollte dir nicht wehtun, ich wollte nur, dass du ... Oh verdammt! Ich kann dich nicht mal mehr auf meine Knie nehmen! Du bist jetzt zu groß. Warte, breite deine Arme ein bisschen aus, drück mich an dich ... Nein, nicht weinen. Das ist zu traurig ...«

»Das ist kein Traurigsein, Opa Léon, das ist nur Wasser, das überläuft ...«

»Ach, mein Großer, mein großer Kleiner ... Komm, jetzt ist es genug. Reiß dich zusammen, wir reißen uns zusammen. Wir müssen das Möbel für Joseph fertig machen, wenn wir gratis bei ihm essen wollen. Na los, such deinen Schraubenzieher.«

Ich wischte mir die Nase an meinem Ärmel ab.

Und dann fügte er hinzu, mitten ins Schweigen, als ich den zweiten Schranktürflügel in Angriff nahm: »Nur eine letzte Sache und danach spreche ich nicht mehr davon. Was ich dir sagen möchte, ist sehr wichtig ... Ich wollte dir sagen, wenn sich deine Eltern streiten, dann liegt das nicht an dir. Es liegt an ihnen selbst, nur an ihnen. Du hast nichts damit zu tun, hörst du? Überhaupt nichts. Und ich kann dir sogar versichern, selbst wenn du Klassenbester wärst, wenn du nur Einser nach Hause brächtest, würden sie sich weiter streiten. Sie müssten nur einen anderen Vorwand finden, das ist alles.«

Ich antwortete nicht. Ich verpasste Josephs Möbel einen ersten Anstrich.

Als ich nach Hause kam, blätterten meine Eltern Prospekte durch und tippten auf einem Taschenrechner. Wäre das Leben ein Comic, hätte ich schwarzen Rauch über ihren Köpfen gesehen. Ich sagte »'n Abend« und schlug schnell den Weg in Richtung Kinderzimmer ein, aber sie riefen mich zurück.

»David, komm her!«

Am Klang seiner Stimme erkannte ich, dass mein Vater nicht zu Scherzen aufgelegt war.

»Setz dich.«

Ich fragte mich, was man mir heute auftischen würde ...

»Wie du weißt, haben sich deine Mutter und ich entschlossen, dich in ein Internat zu schicken ...«

Ich schlug die Augen nieder. Ich dachte: Wenigstens ein Mal seid ihr euch über etwas einig. Es ist nie zu spät. Schade nur, dass es wegen einer so elendigen Sache ist ...

»Ich kann mir vorstellen, dass dich diese Idee nicht begeistert, aber es ist nun mal so. Wir befinden uns in einer Sackgasse. Du lernst nichts, du bist von der Schule geflogen, keiner will dich und die Schule im Viertel taugt nichts. Wir haben keine Wahl ... Aber was du vielleicht nicht weißt, ist, dass das Internat sehr viel Geld kostet. Du solltest dir darüber im Klaren sein, dass wir eine große finanzielle Anstrengung für dich auf uns nehmen, eine wirkliche Anstrengung ...«

Ich kicherte in mich hinein: Oh ... Aber das ist nicht nötig. Danke. Danke. Meine Herren! Sie sind zu gütig. Soll ich Ihnen die Füße küssen, meine Herren?

Mein Vater fuhr fort:

»Willst du nicht wissen, wo du hinkommst?«

»…«

»Ist es dir egal?«

»Nein.«

»Nun gut, wir wissen es auch nicht, stell dir vor. Diese Geschichte bereitet einem wirklich Kopfzerbrechen. Deine Mutter hat den ganzen Nachmittag am Telefon verbracht, ohne Erfolg. Wir müssen eine Einrichtung finden, die zustimmt, dich im laufenden Schuljahr zu nehmen, und die …«

»Da möchte ich gerne hingehen«, fiel ich ihnen ins Wort.

»Was heißt ›da‹?«

»Dahin.«

Ich reichte ihnen das kleine Faltblatt, wo man die Schüler hinter einer Hobelbank arbeiten sah. Meine Mutter setzte ihre Brille auf.

»Wo ist das? Dreißig Kilometer im Norden von Valence … Das technische Gymnasium von Grandchamps … Aber sie haben keine Sekundarstufe.«

»Doch. Sie haben auch eine Sekundarstufe.«

»Woher weißt du das?«, fragte mein Vater.

»Ich habe angerufen.«

»Du?!«

»Eh … ja, ich.«

»Wann?«

»Kurz vor den Ferien.«

»Du?! Du hast angerufen! Aber warum?«

»Nur so … Weil ich es wissen wollte.«

»Und?«

»Nichts weiter.«

»Warum hast du uns nichts davon erzählt?«

»Weil es unmöglich ist.«

»Warum ist es unmöglich?«

»Weil sie die Schüler nur aufgrund ihres Zeugnisses nehmen, und mein Zeugnis ist ein Schuss in den Ofen. Es ist ein solcher Schuss in den Ofen, dass man nicht einmal ein Feuer damit anzünden könnte …«

Meine Eltern schwiegen. Mein Vater las sich das Programm von Grandchamps durch und meine Mutter seufzte.

Am nächsten Tag ging ich ganz normal zum Unterricht, den übernächsten und den darauf folgenden Tag auch.

Ich fing an, den Ausdruck »die Batterien sind alle« zu verstehen.

Genau das war es. Meine Batterien waren leer.

Eine Hälfte von mir fühlte sich wie abgestorben und mir war alles egal.

Ich machte nichts. Ich hatte keine Ideen mehr. Keine Lust. Zu nichts. Ich steckte meine ganze Legosammlung in einen Karton und gab sie Gabriel, meinem kleinen Cousin. Ich guckte die ganze Zeit Fernsehen. Clips kilometerlang. Ich lag Stunden auf meinem Bett. Ich bastelte nicht mehr. Arme und Hände baumelten sinnlos zu beiden Seiten meiner Hühnerbrust runter. Manchmal hatte ich den Eindruck, sie seien tot. Gerade mal gut genug, um zu zappen oder um Flaschen zu öffnen. Ich war hässlich und ich wurde zum Schwachkopf. Meine Mutter hatte Recht: Ich würde bald dumm sein wie Bohnenstroh.

Ich hatte nicht mal mehr Lust, zu meinen Großeltern zu gehen. Sie waren nett, aber sie kapierten nichts. Sie waren zu alt. Und außerdem, was konnte Opa Léon von meinen Problemen verstehen? Nichts, er war immer ein Ass gewesen. Er kannte keine Probleme. Was meine Eltern betrifft, lassen wir das … Sie sprachen nicht mal mehr miteinander. Richtige Zombies.

Ich musste mich zurückhalten, sie nicht kräftig zu

schütteln, damit wenigstens irgendetwas aus ihnen herauspurzelte. Ein Wort, ein Lächeln, eine Geste. Irgendetwas.

Ich hing schlaff vor dem Fernseher, als das Telefon klingelte.

»Sag mal, Toto, hast du mich vergessen?«

»Ach … Ich habe keine große Lust, heute zu kommen …«

»Na und? Und Joseph? Du hast mir versprochen, mir zu helfen, ihm sein Möbel zu liefern!«

Upps! Das hatte ich völlig vergessen.

»Ich komme. Entschuldige!«

»Kein Problem, Toto, kein Problem. Es wird nicht davonfliegen.«

Um sich bei uns zu bedanken, lud uns Joseph zu einem regelrechten Festmahl ein. Ich aß ein Tartar groß wie der Vesuv, mit tausend kleinen Dingen, Kapern, Zwiebeln, Kräutern, Pfefferschoten … Mmhh. Opa Léon schaute mich lächelnd an.

»Es macht Spaß, dir zuzusehen, Toto. Glücklicherweise beutet dich dein alter Ahne von Zeit zu Zeit aus und du kannst dich richtig satt essen.«

»Und du? Isst du nichts?!«

»Oh ... Ich hab keinen großen Hunger, weißt du ... Deine Großmutter hat mich beim Frühstück voll bis oben hin gestopft.«

Ich wusste, dass er log.

Danach besichtigten wir Josephs Küche. Ich konnte mich nicht satt sehen an den riesigen Pfannen und Töpfen. Und dann die großen Schöpfkellen, die Holzlöffel groß wie Schleudern, Dutzende von Messern, nach Größe geordnet und supergut geschliffen.

Joseph holte aus:

»Hier. Und das ist Titi! Unser Neuer ... Ein guter Junge. Wir werden dafür sorgen, dass er eine Kochmütze bekommt, und dann, ihr werdet schon sehen, in ein paar Jahren, werden ihm diese Pfeifen von Michelin um den Bart streichen, ich sag es euch. Sagst du Guten Tag, Titi?«

»Guten Tag.«

Er schälte Hunderte Kilo von Kartoffeln. Er wirkte ganz zufrieden. Seine Füße waren unter einem Berg von Schalen verschwunden. Ich sah ihn mir an und dachte: Sechzehn ... Er ist sicher schon sechzehn ...

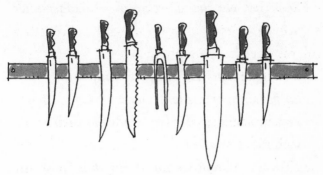

Als mich Opa Léon vor der Tür absetzte, ließ er
nicht locker:
»Gut, also du machst es wie besprochen, nicht
wahr?«
»Ja, ja.«
»Du kümmerst dich nicht um deine Fehler, nicht
um deinen Stil und nicht um deine Sauklaue. Du
kümmerst dich um nichts. Du schreibst einfach,
was du auf dem Herzen hast, okay?«
»Ja, ja ...«

Ich setzte mich noch am selben Abend hin. Egal
war es mir aber überhaupt nicht, immerhin schrieb
ich elf Schmierblätter voll. Dennoch war mein
Brief ziemlich kurz ...
Ich hab ihn euch noch mal abgeschrieben:

Sehr geehrter Herr Direktor der Grandchamps-
Schule,

ich würde sehr gerne in Ihrer Einrichtung
aufgenommen werden, aber ich weiß, dass es
unmöglich ist, weil mein Schulzeugnis zu
schlecht ist.
Ich sah in Ihrem Schulprospekt, dass Sie Werk-
stätten haben, eine Schreinerei, Informatik-
klassen, ein Treibhaus und all das. Ich glaube,
es zählen nicht nur Noten im Leben. Ich
glaube, dass auch die Motivation wichtig ist.
Ich würde gerne nach Grandchamps kommen,
weil ich glaube, dass ich dort am glücklichsten
wäre. Ich bin nicht sehr groß, aber ich wiege
35 Kilo Hoffnung.

Auf Wiedersehen.
David Dubosc

PS Nummer 1: Es ist das erste Mal, dass ich
jemanden inständig bitte, in die Schule gehen
zu dürfen. Ich frage mich, ob ich nicht
krank bin.

PS Nummer 2: Ich schicke Ihnen die Pläne
einer Bananenschälmaschine, die ich erfunden
habe, als ich sieben war.

Ich las ihn noch einmal und fand ihn ziemlich albern, aber ich hatte nicht den Mut, ein dreizehntes Mal zu beginnen.

Ich stellte mir das Gesicht des Direktors beim Lesen vor ... Er würde sicher denken: Was ist denn das für eine Mickymaus?, bevor er den Brief zerknüllen und ihn in den Papierkorb befördern würde. Ich hatte keine große Lust mehr, ihn abzuschicken, aber ich hatte es Opa Léon nun mal versprochen, und das konnte ich nicht mehr rückgängig machen.

Ich warf ihn in den Briefkasten, als ich von der Schule nach Hause ging, und als ich mich zum Essen hinsetzte, las ich noch einmal das Faltblatt, und ich entdeckte, dass der Direktor in Wirklichkeit eine Direktorin war. Was bin ich für ein Idiot, dachte ich und biss mir dabei auf die Zunge. Was für ein Idiot, was für ein Erzobertrottel!

Danach hatten wir Herbstferien. Ich fuhr nach Orléans, zu Fanny, der Schwester meiner Mutter. Ich spielte auf dem Computer meines Onkels, ich ging niemals vor Mitternacht ins Bett und ich schlief so lange wie möglich. Bis mein kleiner Cousin kreischend auf mein Bett sprang.

»Ego. Bauen wir ego? David, kommst du ego bauen?«

Vier Tage lang baute ich nur Dinge aus Lego: eine Werkstatt, ein Dorf, ein Schiff … Und jedes Mal, wenn ich etwas fertig hatte, war er total zufrieden. Er bewunderte es und dann, päng!, schmiss er es mit seiner ganzen Kraft auf den Boden, um es in tausend Teile zerspringen zu lassen. Das erste Mal hat es mich ausgesprochen genervt, aber als ich

ihn lachen hörte, vergaß ich meine zwei verlorenen Stunden. Ich hörte ihn furchtbar gerne lachen. Meine Batterien luden sich wieder auf.

Meine Mutter holte mich in Paris am Bahnhof ab. Als wir im Auto saßen, sagte sie:
»Ich habe zwei Neuigkeiten für dich, eine gute und eine schlechte. Mit welcher soll ich anfangen?«
»Mit der guten.«
»Die Direktorin von Grandchamps hat gestern angerufen. Sie ist einverstanden, dich zu nehmen, aber vorher musst du dich noch einer Art Test unterziehen ...«
»Pfff ... Wenn du das eine gute Nachricht nennst ... Einen Test. Was soll ich aus dem Test machen? Konfetti? Und die schlechte?«
»Dein Großvater ist im Krankenhaus.«
Ich war mir dessen sicher gewesen. Ich wusste es. Ich fühlte es.

»Ist es schlimm?«
»Man weiß es nicht. Er fühlte sich unwohl und sie haben ihn zur Beobachtung dabehalten. Er ist sehr schwach.«

»Ich möchte ihn sehen.«

»Nein. Nicht jetzt. Keiner darf ihn im Moment besuchen. Er muss unter allen Umständen wieder zu Kräften kommen.«

Meine Mutter weinte.

Ich hatte mein Grammatikbuch mitgenommen, um im Zug nochmal Stoff zu wiederholen, aber ich schlug es gar nicht erst auf. Ich versuchte nicht mal so zu tun als ob. Ich war nicht in der Lage, einen klaren Gedanken zu fassen und mit dem Lernen zu beginnen. Der Zug fuhr Kilometer um Kilometer an unendlichen elektrischen Kabeln

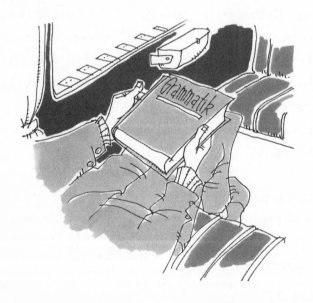

entlang, und an jedem Leitungsmast sagte ich ganz leise:

»Opa Léon ... Opa Léon ... Opa Léon ... Opa Léon ... Opa Léon ... Opa Léon ... Opa Léon ... Opa Léon ... Opa Léon«, und zwischen den Leitungsmasten:

»Stirb nicht ... Bleib da. Ich brauche dich. Charlotte braucht dich auch. Was soll aus ihr werden ohne dich? Sie wäre zu unglücklich. Na, und ich? Stirb nicht. Du hast nicht das Recht zu sterben. Ich bin viel zu jung. Ich will, dass du siehst, wie ich erwachsen werde. Ich will, dass du irgendwann stolz auf mich bist. Ich bin doch erst am Anfang meines Lebens. Ich brauche dich. Und dann, wenn ich eines Tages heirate, möchte ich, dass du meine Frau und meine Kinder kennen lernst. Ich will, dass meine Kinder in deinen Schuppen kommen. Ich möchte, dass meine Kinder deinen Geruch riechen. Ich will, dass ...«

Ich schlief ein.

In Valence holte mich ein Mann vom Bahnhof ab. Auf dem Weg zur Schule erfuhr ich, dass es der Gärtner von Grandchamps war. Na ja, der »Verwalter«, wie er sagte ...

Ich fühlte mich wohl in seinem kleinen Lastwagen, es roch nach Diesel und welken Blättern.

Ich aß im Speisesaal mit den anderen Internatsschülern. Nur große, kräftige Prachtexemplare. Sie waren nett zu mir, sie gaben mir jede Menge Tipps über die Penne. Die besten Verstecke zum Rauchen, wie man sich gut mit der Kantinenfrau stellt, um einen Nachschlag zu bekommen, den Trick, wie man über die Sicherheitsleiter zum Schlafraum der Mädchen hochsteigen kann, die kleinen Eigenheiten der Lehrer und all das …

Sie lachten laut, sie machten Unsinn. Aber keinen böswilligen Unsinn. Jungenstreiche.

Ihre Hände sahen schön aus mit den kleinen Schnittwunden überall und dem Schmieröl unter den Nägeln. Irgendwann fragten sie mich, warum ich hier sei.

»Weil mich keine Schule mehr will.«

Das brachte sie zum Lachen.

»Keine?«

»Nein. Keine.«

»Nicht mal die Irrenanstalt?«

»Genau«, sagte ich, »sogar in der Irrenanstalt fanden sie, dass ich einen schlechten Einfluss auf die anderen hätte.«

Einer von ihnen klopfte mir auf die Schultern.

»Willkommen im Club, Junge!«

Danach erzählte ich ihnen, dass ich am nächsten Morgen einen Test machen müsste.

»Mensch, was treibst du dich dann hier noch rum? Leg dich schlafen, du Witzbold, du musst morgen in Form sein!«

Ich konnte nicht einschlafen. Ich hatte einen komischen Traum. Ich war mit Opa Léon in einem super Park, und er ging mir tierisch auf die Nerven. Er zog an meiner Kleidung und sagte: »Wo ist ihr Versteck zum Rauchen? Frag sie, wo es ist …«

Beim Frühstück bekam ich keinen Bissen runter. Ich hatte Stahlbeton im Bauch. Mir ging es noch nie im Leben so schlecht. Ich atmete schwer und mir stand der kalte Schweiß auf der Stirn. Mir war heiß und kalt zugleich.

Sie setzten mich in einen kleinen Klassenraum und ich blieb eine Zeit lang allein. Ich dachte, sie hätten mich vergessen. Und dann gab mir eine Frau ein riesiges Heft zum Schreiben. Die Linien tanzten vor meinen Augen. Ich verstand nichts. Ich stützte die Ellbogen auf den Tisch und den

Kopf in die Hände. Um durchzuatmen, um mich zu beruhigen, um den Kopf frei zu bekommen. Meine Nase hing mitten auf dem Tisch über den Graffiti. »Ich mag große Titten« stand da und daneben: »Ich mag Kreuzschraubenzieher lieber«. Ich musste lächeln und machte mich an die Arbeit.

Anfangs lief es ganz gut, aber je mehr Seiten ich umblätterte, desto weniger Antworten fand ich. Ich fing an, panisch zu werden. Das Schlimmste war ein kurzer Absatz mit folgendem Wortlaut: »Findet und korrigiert die Fehler dieses Textes.« Es war furchtbar. Ich sah keinen einzigen. Ich war wirklich die größte Niete aller Nieten. Er war voll von Fehlern, und ich sah sie nicht einmal! Ich hatte einen Kloß im Hals, der ganz langsam hochstieg, und meine Nase fing an zu kribbeln. Ich riss die Augen weit auf. Ich durfte nicht heulen. Ich wollte nicht heulen. ICH WOLLTE NICHT HEULEN, versteht ihr? Und dann kam sie trotzdem, eine große Träne, die ich nicht hatte kommen sehen und die nun auf mein Heft rollte … Dieses Miststück. Ich biss die Zähne zusammen, ganz fest. Doch ich fühlte genau, dass ich die Nerven verlieren würde. Der Damm drohte zu brechen.

Ich hatte zu lange versucht, nicht zu weinen, und bestimmte Gedanken nicht zugelassen ... Aber irgendwann kommt der Moment, wo das Fass überläuft, mit allem, was ihr ganz tief in eurem Kopf versteckt, ganz da hinten ... Wenn ich erst mal anfinge zu heulen, das wusste ich, könnte ich nicht mehr aufhören, alles würde auf einmal hochkommen: Grududu, Marie, all die Schuljahre, in denen ich immer der Schlechteste war. Immer der große Dummkopf vom Dienst. Meine Eltern, die sich nicht mehr liebten, diese ganzen traurigen Tage zu Hause und mein Opa Léon in seinem Krankenzimmer, mit all den Schläuchen in der Nase und seinem Leben, das Stück für Stück dahinschwand ...

Die Tränen stiegen mir in die Augen. Ich biss mir auf die Lippen, bis sie bluteten, als ich eine Stimme sagen hörte: »Kopf hoch, Toto, was machst du denn für Sachen? Was ist los? Willst du nicht aufhören, wie ein Schwein an deinem Stift herumzusabbern? Du wirst ihn noch ertränken.«

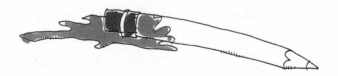

Nun wurde ich also völlig verrückt ...

Ich hörte Stimmen! »He ... Habt ihr euch geirrt da oben, ich bin nicht die heilige Johanna. Ich bin nur eine kleine Flasche, die ins Schwimmen geraten ist.«

»Nun gut, Herr Niemand, sag mir Bescheid, wenn du mit dem Jammern fertig bist. Wir könnten ein bisschen zusammen arbeiten, wir beide.«

Was war das für eine Nummer? Ich schaute mich überall im Raum um, ob es Kameras oder Mikros gab. Was war das bloß für eine Nummer? Befand ich mich in der vierten Dimension, oder was?

»Opa Léon, bist du das?«

»Wer soll es denn sonst sein, du großer Dummkopf. Der Papst?«

»Aber ... wie ist das möglich?«

»Was?«

»Mensch ... Dass du da bist, dass du einfach so mit mir sprechen kannst?«

»Erzähl keine Dummheiten, Toto, ich war immer da, das weißt du sehr genau. Gut, genug gescherzt. Konzentrier dich ein bisschen. Nimm einen Bleistift und unterstreich mir alle konjugierten Verben ... Nein, das da nicht, du siehst doch, dass es mit ›en‹ aufhört. Und jetzt finde die dazugehörigen Subjekte ... Mach einen kleinen Pfeil ... Sehr gut ... Denk nach, achte auf die richtigen Verbindungen ... Da, pass auf ... Was ist das Subjekt? Ja, genau, *Du*, also ein ›st‹ am Ende, gut. Danach machst du dasselbe mit den anderen Substantiven, unterstreich sie ... Finde die dazugehörigen Artikel und kontrolliere nochmal.

Kontrolliere alles. Und die Adjektive? Kommt dir das nicht komisch vor, dieses ›roter‹ zu den ›Tischtüchern‹, das ist gut, siehst du, du kannst es schaffen, wenn du aufpasst. Blätter ein bisschen zurück, ich habe schreckliche Dinge bei den Rechenaufgaben gesehen ... Da stellen sich mir die Nackenhaare von ganz alleine auf. Komm, nimm dir das Dividieren noch einmal vor ... Nein, mach es noch einmal ... Schon wieder! Du vergisst, etwas abzuziehen, ja, jetzt stimmt es. Und lass uns die Seite 4 anschauen, bitte ...«

Ich hatte den Eindruck, mit offenen Augen zu träumen, ich war super konzentriert und super entspannt zugleich. Ich schrieb wie auf Wolken. Das war wirklich ein seltsames Gefühl.

»So, Toto, ich lass dich jetzt in Ruhe. Jetzt kommt der Aufsatz, und ich weiß, dass du da viel stärker bist als ich ... Doch, doch. Das ist wahr. Ich lass dich jetzt allein, aber pass auf die Rechtschreibung auf. Du machst es wie vorhin: Kleine Pfeile einzeichnen und kontrollieren. Sag dir, du bist ein Wörterpolizist. Und von jedem lässt du dir die Papiere zeigen, bevor du sie weiterfahren lässt: Sie da! Wie heißen Sie? – Adjektiv. – Mit wem fahren Sie, junger Mann? – Mit ›Hunden‹. – Gut, also, was brauchen Sie am Schluss? – Ein N. – In Ordnung, fahren Sie weiter. Verstehst du, was ich sagen will?«

»Ja«, sagte ich.

»Sprechen Sie nicht so laut, junger Mann!«, rief die Aufsichtsperson. »Seien Sie still. Ich will nichts hören!«

Ich las alles gut durch. Mindestens siebenundfünfzigmal. Und ich gab ihr mein Heft.

Wieder im Flur, flüsterte ich:

»Opa Léon, bist du noch da?«

Keine Antwort.

Auf der Rückfahrt habe ich es noch einmal versucht. Aber kein Anschluss unter dieser Nummer.

Als ich auf dem Bahnsteig das Gesicht meiner Eltern sah, wusste ich, dass etwas passiert war.

»Ist er tot?«, fragte ich. »Er ist tot, nicht wahr?«

»Nein«, sagte meine Mutter, »er liegt im Koma.«

»Seit wann?«

»Seit heute Morgen.«

»Wird er wieder aufwachen?«

Mein Vater zuckte die Achseln und meine Mutter hielt sich an meiner Schulter fest.

Ich ging nicht ins Krankenhaus. Niemand ging hin. Sie hatten es verboten, weil die kleinste unserer Bakterien ihn töten könnte.

Aber ich besuchte meine Großmutter, und ich bekam einen Riesenschreck, als ich sie sah. Sie wirkte noch schwächer und zerbrechlicher als sonst. Eine kleine verlorene Maus in einem blauen Morgenmantel. Ich stand völlig hilflos mitten in der Küche, bis sie zu mir sagte:

»Geh ein bisschen arbeiten, David. Setz die Maschinen in Gang. Nimm die Werkzeuge in die Hand. Streichle das Holz. Sprich mit den Dingen, sag ihnen, dass er bald zurückkommen wird.«

Sie weinte lautlos.

Ich ging in den Schuppen. Ich setzte mich. Ich verschränkte die Arme über der Hobelbank und konnte endlich heulen.

Alle Tränen schossen hoch, die ich so lange in meinem Innern zurückgehalten hatte. Ich weiß nicht, wie lange ich so dasaß. Eine Stunde? Zwei? Drei vielleicht?

Als ich wieder aufstand, ging es mir besser. Ich hatte keine Tränen mehr, und mein Kummer schien verflogen. Ich schnäuzte mich in ein altes klebstoffverschmiertes Handtuch, das auf dem Boden herumlag, und da entdeckte ich auf dem Holz meine eingeritzte Inschrift wieder … »HILF MIR«.

Ich wurde in Grandchamps angenommen.

Es ließ mich kalt. Ich war nur froh, wegzukönnen, frischen Wind zu atmen, wie Opa Léon sagen würde. Ich packte meine Tasche und ich drehte mich nicht mal um, als ich meine Zimmertür schloss. Ich bat meine Mutter, das Geld von Monsieur Martineau aufs Sparbuch zu legen. Ich hatte keine Lust mehr, dieses Geld auszugeben. Ich hatte auf nichts mehr Lust außer auf das Unmögliche. Und ich verstand, dass man nicht alles im Leben kaufen konnte.

Mein Vater nutzte eine seiner Geschäftsreisen in die Provinz, um mich zu meiner neuen Schule zu bringen. Wir sprachen nicht viel auf der Fahrt. Wir wussten, dass unsere Wege sich trennen würden.

»Ihr ruft mich an, sobald es etwas Neues gibt, nicht wahr?«

Er nickte mit dem Kopf, und dann umarmte er mich unbeholfen.

»David?«

»Ja?«

»Ach nichts. Versuch, glücklich zu sein, du hast es verdient. Weißt du, ich habe es dir nie gesagt, aber ich finde, du bist ein richtig guter Typ ...«

Und er schloss mich ganz fest in die Arme, bevor er wieder in sein Auto stieg.

Ich war nicht der Beste in der Klasse, ich war sogar unter den Schlechtesten; wenn ich richtig darüber nachdenke, muss ich sogar zugeben, dass ich der Schlechteste war. Dennoch mochten mich die Lehrer gern ...

Einmal gab uns Madame Vernoux, unsere Französischlehrerin, unsere Textinterpretation zurück. Ich hatte eine Fünf.
»Ich hoffe, dass deine Bananenschälmaschine leistungsfähiger ist ...«, sagte sie mit einem kleinen Lächeln.

Ich glaube, ich war gut angesehen wegen dieses Briefes, den ich geschickt hatte. Alle Welt hier wusste, dass ich eine Null war, aber dass ich den Wunsch hatte, es zu schaffen.

Im Zeichnen und im Technischen Unterricht war ich jedoch der Beste. Vor allen Dingen im Technischen Unterricht. Ich verstand mehr davon als der Lehrer. Wenn den Schülern etwas nicht gelang, half ich als Erster. Anfangs nahm mir das Monsieur Jougleux übel; jetzt macht er es wie sie. Er fragt mich die ganze Zeit um Rat. Das ist schon irgendwie witzig.

Mein größter wunder Punkt war der Sport. Ich war schon immer eine Niete, aber hier fiel es umso mehr auf, weil die anderen gut waren und weil sie gerne Sport machten. Es ging wirklich alles schief: Das kannte ich, denn ich war weder in der Lage, zu laufen, zu springen, zu tauchen, noch einen Ball zu fangen, geschweige denn, ihn zu werfen. Nichts, rein gar nichts. Null.

Die anderen machten sich über mich lustig, aber nett. Sie sagten:

»He, Dubosc, wann ist deine Muskelpaketmaschine fertig?«

Oder:

»Achtung, Jungs! Aufgepasst! Dubosc springt, haltet eure Pflaster bereit!«

Jede Woche telefonierte ich mit meiner Mutter. Jedes Mal war meine erste Frage, ob es etwas Neues gibt. Eines Tages hielt sie es nicht mehr aus:

»Hör auf, David. Stell mir diese Frage nicht mehr.

Du weißt genau, dass ich es dir sofort sage, wenn es etwas Neues gibt. Erzähl mir lieber von dir, was du machst, von deinen Lehrern, deinen Freunden und allem …«

Ich hatte ihr nichts zu sagen. Ich musste mich zum Reden zwingen, und dann kürzte ich das Gespräch ab. Alles, was nicht meinen Großvater betraf, war mir egal geworden.

Mir ging es gut, aber ich war nicht glücklich. Es machte mich wütend, nichts tun zu können, um meinem Opa Léon zu helfen. Ich hätte Berge für ihn versetzt, mich in Stücke geschnitten und wäre für ihn durchs Feuer gegangen. Ich hätte ihn auf meinen Armen durch die ganze Welt getragen und ihn dabei ganz fest an mich gedrückt. Ich hätte wer weiß was auf mich genommen, um ihn zu retten, aber was soll's, man konnte nichts machen außer warten.

Es war nicht auszuhalten. Er hatte mir geholfen, als ich ihn wirklich gebraucht hatte, und ich? Nicht. Überhaupt nicht.

Bis zu dieser besagten Sportstunde.

An diesem Tag stand das Knotenseil auf dem Pro-

gramm. Der Horror. Seit meinem sechsten Lebensjahr versuchte ich es, und ich hatte es kein einziges
Mal geschafft hochzukommen. Das Knotenseil
war eine einzige peinliche Qual für mich.

Als ich dran war, brüllte Momo wie verrückt:
»Kommt her, Inspektor Gadget ist hier, der wird
uns seine Socken zeigen!«

Ich betrachtete die Länge des Seils und flüsterte
vor mich hin: »Opa Léon, hör mir gut zu. Ich
werde es schaffen. Ich tue es für dich. Für dich,
hörst du mich!«

Beim dritten Knoten konnte ich schon nicht mehr,
aber ich biss die Zähne zusammen. Ich zog mich
hoch, holte alles raus aus meinen Puddingärmchen.
Vierter Knoten, fünfter Knoten. Ich wollte loslassen. Es war zu hart. Nein, ich konnte nicht. Ich
hatte es versprochen. Ich ächzte vor mich hin
und schob mich über meine Füße nach oben.
Aber nein, ich konnte nicht mehr. Ich war dabei,
schlappzumachen. In diesem Augenblick bemerk-
te ich sie, die Jungs aus meiner Klasse, im Kreis,
ganz unten. Einer von ihnen schrie:

»Los, Dubosc, halt dich fest!«

Also versuchte ich es noch einmal. Schweißtropfen
ließen mir den Blick verschwimmen.

Meine Hände brannten.

»Du-bosc ! Du-bosc! Du-bosc!«

Sie schrien, um mich zu unterstützen.

Siebter Knoten. Ich wollte loslassen. Ich hatte das Gefühl, ohnmächtig zu werden.

Unter mir sangen sie die Titelmusik aus dem Zeichentrickfilm:

»Wer ist wieder da? Inspektor Gadget! Wer hat eine heiße Spur? Ja, natürlich, Herr Inspektor Gadget!«

Sie machten mir Mut, aber nicht genug.

Nur noch zwei Knoten. Ich spuckte erst in die eine Hand, dann in die andere. »Opa Léon, ich bin da, guck! Ich schicke dir meine Kraft. Ich schicke dir meinen Willen. Nimm sie! Nimm sie! Du brauchst sie. Neulich hast du mir dein Wissen geschickt, und jetzt schicke ich dir alles, was ich habe: meine Jugend, meinen Mut, meinen Atem, meine kleinen angespannten Muskeln. Nimm sie, Opa Léon! Nimm das alles ... Ich flehe dich an!«

Die Innenseite meiner Oberschenkel fing an zu bluten, ich spürte meine Gelenke nicht mehr. Nur noch ein einziger Knoten.

»Los! Looos! Loooooooossss!«

Sie waren außer Rand und Band. Die Lehrerin brüllte am lautesten. Ich schrie:

»Wach auf!«, und ich erreichte das Ende des Seils. Unter mir der helle Wahnsinn. Ich weinte vor Freude und vor Schmerz. Ich ließ mich hinab-gleiten, aber es sah eher wie ein Sturz aus. Momo und Samuel fingen mich auf und hoben mich in die Luft.

»Wer ist wieder da? Inspektor Gadget! Wer hat eine heiße Spur? Ja, natürlich, Herr Inspektor Gadget!« Alle Welt sang.

Ich fiel in Ohnmacht.

Von diesem Tag an war ich nicht mehr wieder-
zuerkennen. Entschlossen. Verbissen. Unnachgie-
big. Ich fühlte mich stark wie ein Löwe.

Jeden Abend nach der Schule ging ich spazieren,
anstatt im Gemeinschaftsraum Fernsehen zu gu-
cken. Ich streifte durch Dörfer, Wiesen und Wäl-
der. Ich wanderte stundenlang. Ich atmete langsam und tief durch. Mit immer demselben Satz
im Kopf: »Nimm das alles, Opa Léon, atme die
frische Luft. Atme. Riech die Erde und den Nebel.
Ich bin da. Ich bin deine Lunge, dein Atem und
dein Herz. Lass es zu. Nimm es.«
Das war Mund-zu-Mund-Beatmung auf Entfer-
nung.
Ich aß gut, ich schlief viel, ich berührte die Rinde
der Bäume und ich streichelte die Pferde des
Nachbarn. Ich ließ meine Hand unter ihre warmen
Mähnen gleiten und ich flüsterte immer noch:
»Nimm es. Das ist gut für dich.«

Eines Abends rief mich meine Mutter an. Als die
Lehrerin kam, um mir Bescheid zu sagen, blieb
mir das Herz für einen Augenblick stehen.
»Keine guten Neuigkeiten, mein Großer. Die

Ärzte stellen die Behandlung ein. Es hilft nichts mehr.«

»Er wird also sterben!«

Ich schrie in den Flur des Schlafsaals:

»Schaltet doch gleich alles aus, dann geht es noch schneller!«

Und ich legte auf.

Von diesem Tag an hörte ich mit dem ganzen Zirkus auf.

Ich spielte wieder mit den Jungs im Gemeinschaftsraum Tischfußball. Ich arbeitete schlecht und sprach kaum noch. Ich hatte keinen Spaß mehr am Leben. Mein Kopf war wie abgestorben. Wenn meine Eltern anriefen, schickte ich sie zum Teufel.

Und gestern kam ein Typ aus der Abschlussklasse und holte mich aus dem Bett. Ich schlief mit geschlossenen Fäusten.

»He, he, wach auf, Mann!«

Ich hatte ein pelziges Gefühl im Mund.

»Was, was is'n los?«

»Hey, bist du Toto?«

»Warum fragst du mich das?«

Ich rieb mir die Augen.

»Weil unten so ein Opa in seinem Rollstuhl rum-
lärmt, dass er seinen Toto sehen will … Bist du das
zufällig?«

Ich hatte nur eine Unterhose an, ich lief die vier
Etagen hinunter. Ich weinte wie ein Baby.

Er war da, vor der Tür des Speisesaals, mit einem
Typ im weißen Kittel an seiner Seite. Der Typ
hielt das Dings mit der Infusion, und mein Großvater lächelte mich an.

Ich weinte so sehr, dass ich es nicht einmal fertig
brachte, zurückzulächeln.

Er sagte:

»Du solltest deinen Hosenstall zumachen, Toto,
du wirst dich erkälten!«

Und da lachte ich.

Anna Gavalda wurde 1970 in Boulogne-Billancourt geboren. Bis zu dem überwältigenden Erfolg ihrer ersten Erzählungssammlung, *Ich wünsche mir, dass irgendwo jemand auf mich wartet*, für die sie im Jahr 2000 den Grand Prix RTL-Lire erhielt, arbeitete sie als Lehrerin. *35 Kilo Hoffnung* ist ihr erster Jugendroman. Anna Gavalda lebt mit ihren zwei Kindern als freie Autorin in Paris.

Claas Janssen wurde 1963 in Braunschweig geboren. Nach dem Studium (Grafikdesign und Illustration) an der Fachhochschule in Hamburg war er mehrere Jahre für Werbeagenturen tätig und lebt jetzt als Illustrator in Frankfurt am Main.

FSC

Mix

Produktgruppe aus vorbildlich
bewirtschafteten Wäldern und
anderen kontrollierten Herkünften

Zert.-Nr. SGS-COC-1940
www.fsc.org
© 1996 Forest Stewardship Council

Oktober 2007
7. Auflage Dezember 2009
Die Originalausgabe erschien 2002 unter dem Titel
35 kilos d'espoir bei Bayard Éditions Jeunesse, Paris
© 2002 Bayard Éditions Jeunesse, Paris
Für die deutsche Ausgabe
© 2004 Berlin Verlag GmbH, Berlin
Bloomsbury Kinderbücher & Jugendbücher
Alle Rechte vorbehalten
© 2004 Claas Janssen (Illustrationen)
Umschlaggestaltung:
Rothfos & Gabler, Hamburg, unter Verwendung
einer Illustration von Frédéric Rébéna
Druck & Bindung: GGP Media GmbH, Pößneck
Printed in Germany
ISBN 978-3-8333-5007-8

www.berlinverlage.de

Von Hexen...

Anna Dale
Hexengeflüster
288 Seiten
ISBN 978-3-8333-5008-5
ab 10 Jahren

Joe hat sich auf sterbenslangweilige Weihnachtsferien bei seiner Mutter in Canterbury eingestellt. Doch schon die Zugfahrt verläuft sehr viel aufregender als erwartet. Und noch bevor er sein Ziel erreicht hat, steckt Joe plötzlich in einer vollkommen verhexten Welt der Zaubersprüche, Zaubertränke und fliegenden Besen – mitten im Zentrum einer Verschwörung um das altehrwürdige Hexenbuch und dessen gefährlichste Seite. Wird es Joe und seiner neuen Hexenfreundin Twiggy gelingen, das Rätsel um die verschollene Seite zu lösen, bevor es zu spät ist?

BLOOMSBURY K&J Taschenbuch
Weitere Informationen: www.berlinverlage.de

... *Geheimagenten* ...

Zoran Drvenkar/Gregor Tessnow
Wenn die Kugel zur Sonne wird
304 Seiten
ISBN 978-3-8333-5011-5
ab 10 Jahren

Was müssen ein Junge, achtzehn Spieler und eine Handvoll Geheimagenten alles tun, um die WM 2006 vor einer Katastrophe zu bewahren?
Sie müssen sich mit knallharten Kerlen rumschlagen, einem Samurai die Stirn bieten und vor den Kugeln der Cousin-Cousins in Deckung gehen. Sie müssen das Rätsel um eine Prophezeiung von Nostradamus lösen, sich während der WM behaupten und dabei versuchen, nicht zu viele Tore reinzubekommen. Und sie müssen sehr schnell sein, bevor die Kugel zur Sonne wird und das Himmelreich stürzt und die Wände beben.

BLOOMSBURY K&J Taschenbuch
Weitere Informationen: www.berlinverlage.de

...und Erpressern.

Ulrich Renz
Auf der Spur der Erpresser
160 Seiten
ISBN 978-3-8333-5010-8
ab 10 Jahren

Ein zufällig belauschter Anruf bringt Motte und seine
Freunde auf die Spur einer Erpresserbande. Mit Scharfsinn
und Mut kommen sie dem Geheimnis der Verbrecher immer näher. Dabei merken sie nicht, dass sich die Schlinge
auch um sie selber immer enger zuzieht. Erst ganz zum
Schluss erkennen sie, dass längst mehr auf dem Spiel steht
als eine Million ...

Unsere neuen Taschenbücher
für Spannungssüchtige.

BLOOMSBURY K&J Taschenbuch
Weitere Informationen: www.berlinverlage.de